LES COPAINS DU COIN

LE BOUQUET DE FLEURS

Larry Dane Brimner • Illustrations de Christine Tripp

Texte français d'Hélène Pilotto

Éditions SCHOLASTIC

Pour « L'adepte du jardinage »
— L.D.B.

À Lois Hayden, une merveilleuse voisine
et une fidèle admiratrice
— C.T.

Brimner, Larry Dane
Le bouquet de fleurs / Larry Dane Brimner;
illustrations de Christine Tripp;
texte français d'Hélène Pilotto.

(Les Copains du coin)
Traduction de : The Birthday Flowers.
Pour enfants de 4 à 8 ans.
ISBN 0-439-94788-X

I. Tripp, Christine II. Pilotto, Hélène III. Titre.
IV. Collection : Brimner, Larry Dane. Copains du coin.

PZ23.B7595Bob 2005 j813'.54 C2005-902596-4

Édition publiée par les Éditions Scholastic, 175 Hillmount Road, Markham (Ontario) L6C 1Z7.

5 4 3 2 1 Imprimé au Canada 05 06 07 08

Un livre sur

le respect du bien d'autrui

Alex regarde les bouquets de fleurs. Ils coûtent tous trop cher pour ses moyens.

— Tu as besoin d'aide? demande Flore.

AU JARDIN
DE FLORE !

Alex est embêté.

— Je veux offrir un bouquet de fleurs à ma mère pour son anniversaire, dit-il, mais c'est tout ce que j'ai.

Il sort de sa poche une poignée de pièces de monnaie.

— Quarante-huit cents, dit Flore.

Elle se tapote la joue un moment.
— Que dirais-tu de cette jolie marguerite? demande-t-elle.

Une marguerite, ce n’est pas un bouquet. Alex secoue la tête et s’en va.

En chemin, il passe devant la boutique de vélos. Quand il se penche pour jeter un coup d'œil à la vitrine, quelque chose lui chatouille le nez.

Alex recule d'un pas. Il aperçoit alors une jardinière remplie de fleurs. Elles sont magnifiques.

Plus tard ce matin-là, les Copains du coin se réunissent dans la chambre d'Alex pour fabriquer des cartes d'anniversaire. Alex et ses amis se surnomment les Copains du coin parce qu'ils habitent tous les trois le même immeuble au coin de la rue.

— Que donnes-tu d'autre à ta mère? demande Gaby.

BASEBALL
Bonne

Alex ouvre la porte de son placard.

— Super! s’écrie JP. Je n’ai jamais vu un si gros bouquet.

— Elles ressemblent à celles que
Geneviève fait pousser devant
la boutique de vélos, dit Gaby.
Elle veut les offrir à un de ses
amis qui ne peut plus aller
dehors.

Alex regarde les fleurs.

Il n’avait pas pensé qu’elles
pouvaient appartenir à quelqu’un.
Il n’avait pas pensé non plus que
quelqu’un pourrait en avoir besoin.

— Attendez-moi ici, dit-il.
J’ai quelque chose à faire.

Alex entre dans la boutique de vélos et se dirige vers le comptoir.
— Ces fleurs sont à vous, dit-il l’air penaud. Je suis désolé de les avoir prises sans permission.

Il tend le bouquet à Geneviève.

C’est difficile d’avouer une chose pareille.

Geneviève ferme les yeux.
Elle respire le doux parfum
des fleurs.
— J'ai eu peur de n'avoir
rien à offrir à mon ami M. Petit,
dit-elle. Ces fleurs vont le
rendre si heureux.

Alex en est certain.

En rentrant chez lui, Alex s’arrête au Jardin de Flore. La marguerite est toujours là. Flore avait raison. C’est une très jolie fleur.

Ce soir-là, les Copains
du coin font une surprise
à la maman d'Alex.

Quand Alex la voit sourire,
il comprend qu'une seule
marguerite peut apporter
autant de bonheur que le plus
gros des bouquets de fleurs.

Je
t'
maman

Titres de la collection

LES COPAINS DU COIN

C'est le règlement!

La boîte des Copains

La p'tite nouvelle

La patrouille du quartier

Le bouquet de fleurs

Le chien à garde partagée

Le chien savant

Le grand nettoyage

Le manteau cool

Le pot de nouilles

Le truc qui brille

Opération récupération

Où est l'argent?

Tout le monde à l'eau!

Un match à la gomme